CU00923562

Du même auteur à *l'école des loisirs*

Collection MOUCHE
Rex, ma tortue
Roi comme papa
Les chaussettes de l'archiduchesse
Les aventures de Pinpin l'extraterrestre
Je ne sais pas dessiner
La vie avant moi
L'enfant
La princesse aux petits doigts
Histoire pour endormir ses parents

avec Marc Boutavant

Chien Pourri
Joyeux Noël, Chien Pourri !
Chien Pourri à la plage
Chien Pourri à l'école
Chien Pourri à Paris
Chien Pourri à la ferme
Joyeux anniversaire, Chien Pourri !
Chien Pourri fait du ski
Chien Pourri et sa bande
Chien Pourri millionnaire
Chien Pourri au cirque !
Chien Pourri et la poubelle à remonter le temps

© 2015, l'école des loisirs,
11, rue de Sèvres, Paris 6ᵉ, pour la première édition
Loi n° 49.956 du 16 juillet 1949 sur les publications
destinées à la jeunesse : novembre 2015
Dépôt légal : mars 2021
Imprimé en France par Gibert Clarey Imprimeurs
à Chambray-lès-Tours (37)

ISBN 978-2-211-10975-8

Colas Gutman

Chien Pourri est amoureux

Illustrations de Marc Boutavant

Mouche
l'école des loisirs
11, rue de Sèvres, Paris 6ᵉ

Dans sa poubelle, Chien Pourri ne sent pas que des pieds, il se sent seul. Et malgré le réconfort de son ami Chaplapla, il ne peut s'empêcher de penser à tous les amoureux qui se donnent la pa-patte et s'endorment en tête à tête dans une niche.

— Ne sois pas triste, je suis là, moi! le console Chaplapla.

— Mais tu es un chat. Un jour ou l'autre, tu me quitteras pour une belle siamoise aux yeux bleus.

– Ne dis pas de sottises, Chien Pourri, jamais je ne vous abandonnerai, toi et tes puces !

Soudain, le cœur de ce brave toutou s'accélère devant un vieux paquet de croquettes.

– Chaplapla, ça y est, je suis amoureux !

– De qui, Chien Pourri ?

— Des croquettes goût bacon !

— Chien Pourri, ce n'est pas ça, tomber amoureux.

Pauvre Chien Pourri, quelque chose lui échappe une nouvelle fois. Et tandis qu'il tente d'embrasser une mouche, le caniche à frange et le basset à petit manteau passent devant leur poubelle.

— Alors Chien Pourri, on fait du mouche-à-mouche ? ricane le basset à petit manteau.

— Tu connais le dicton : *Qui se ressemble, s'assemble.* Tu devrais trouver

une serpillière à ton goût dans le caniveau, conseille le caniche à frange.

Chien Pourri repense à ce réverbère qu'il avait tant aimé et à cet os en plastique avec lequel il jouait, lorsqu'il était petit.

— J'aurai dû me marier avec eux, maintenant, c'est trop tard, soupire-t-il.

Rarement Chaplapla n'avait vu son ami aussi raplapla.

— Chaplapla, j'ai peur.

— De quoi, Chien Pourri ?

— De tomber amoureux d'une serpillière.

— Ne t'inquiète pas, Chien Pourri.

— Mais si un jour elle me quitte ?

Heureusement, les détritus sont parfois les meilleurs amis des bêtes.

— J'ai trouvé ! crie Chaplapla en fouillant dans leur poubelle.

— Ma serpillière ? Elle est belle ?

— Non, *Le Guide du séducteur* ! C'était en supplément dans une boîte de haricots verts. À toi l'amour, Chien Pourri !

Chien Pourri ouvre le guide et lit :
Le grand amour se reconnaît tout de suite.
Cela s'appelle le coup de foudre.

« Je connais les coups de pied et les coups de bâton, mais je ne me suis jamais pris un coup pareil », pense-t-il.

— L'âme sœur se cache souvent au coin d'une rue, devise Chaplapla.

« Qu'est-ce qu'il raconte ? Je n'ai pas de sœur », se dit Chien Pourri en faisant pipi contre un réverbère.

— Salut, Chien Pourri, tu as trouvé ta serpillière ? Nous, on va voir la chanteuse Podvache, en concert, dit le basset à petit manteau.

— On a même un accès V.I.C. : *Very Important Caniche,* mais essaie après minuit, ils laissent peut-être passer les paillassons dans ton genre, ajoute le caniche.

Chien Pourri n'est jamais allé à un concert de sa vie, mais il se souvient du jour où des petits rats de l'Opéra avaient dansé sur une poubelle.

« Il me faudrait un tutu et des chaussons aux pommes », se dit-il.

Heureusement, Chaplapla est là pour l'aider.

— Pour plaire, il faut briller en société, Chien Pourri !

Écoutant les conseils de son ami, Chien Pourri se renverse une bouteille d'huile d'olive sur la tête et part en direction de la salle de concert Rock Fort.

C'est la cohue devant la célèbre scène de rock, Chien Pourri n'est pas rassuré et il scrute le ciel orageux.

— J'ai peur de me prendre un coup de foudre, Chaplapla.

— Ne t'inquiète pas, ça n'arrive pas tous les jours. Et puis, il faudrait déjà que l'on puisse entrer.

Pour Chien Pourri, le rêve d'écouter de la musique s'arrête net devant un videur.

— Ça ne va pas être possible, messieurs.

— Quoi donc ? demande Chien Pourri.

— D'avoir de telles horreurs devant la scène. Podvache risque de s'évanouir. Allez, circulez !

— De toute façon, on préfère l'attendre devant l'entrée des artistes, réplique Chaplapla.

— C'est ça, devant les poubelles !

Chien Pourri et Chaplapla se positionnent derrière la salle Rock Fort, dans une ruelle sombre et crasseuse.

— C'est joli les concerts, s'enthousiasme Chien Pourri. En plus, cela sent la sardine.

Mais alors qu'il se recoiffe dans une flaque d'eau, une petite chienne pouilleuse, bigleuse et boiteuse, tente de grimper sur le trottoir.

— Je peux vous aider mademoiselle ? demande-t-il.

— Non, merci, jeune homme.

— Je suis un chien, rectifie Chien Pourri.

— Et moi, je suis myope comme une taupe. Excusez-moi, ma maîtresse m'attend.

« Elle sent bon, pense Chien Pourri, elle me rappelle ce parfum : *Chaussette n°5.* »

Et il se sent rougir comme un poivron. Cette fois, c'est sûr, Chien Pourri est amoureux.

La petite chienne se faufile par l'entrée des artistes. Podvache l'attend derrière la porte.

– Alors, c'est à cette heure-ci qu'on arrive, Sanchichi ?

– Pardon maîtresse, je ne trouvais plus mes lunettes, répond timidement la petite chienne.

Chien Pourri et Chaplapla, eux, restent dans la ruelle, l'oreille collée à un pot de yaourt pour écouter la célèbre chanteuse.

Sur scène, Podvache interprète ses plus grands succès : *Mon réverbère, J'aboie quand je te vois, Je suis lasse de ta laisse,* et récolte les acclamations de la foule. Mais depuis une terrible angine, Sanchichi chante à sa place tandis que Podvache fait du play-back. La petite chienne bigleuse se tient à l'arrière de la scène dans

l'ombre de sa maîtresse. Mais en coulisses, un mystérieux homme à la mâchoire serrée l'écoute attentivement.

Dès le concert terminé, les fans se précipitent vers l'entrée des artistes pour apercevoir Podvache.

— Je vais lui toucher la frange ! s'exclame le caniche à frange.

— Et moi acheter son album : *Chienne de vie*, se réjouit le basset au petit manteau clouté.

Chien Pourri, lui, attend avec impatience l'arrivée de la petite bigleuse, qui sort en fredonnant :

— *Un jour mon caniche viendra et il m'emmènera chez le toiletteur.*

« C'est bizarre, j'ai dû avaler un tam-tam sans m'en apercevoir, pense

Chien Pourri dont le cœur bat la chamade. Il faut que je lui dise quelque chose d'intelligent. »

Mais l'intelligence n'est pas la qualité première de ce brave toutou. Chien Pourri articule maladroitement :

— Bonsoir Mademoiselle, vous habitez dans une poubelle ?

— Ça ne va pas la tête !

— Euh, dans une décharge alors ?

Sanchichi est triste. Personne ne vient à la fin du concert lui dire qu'elle a bien chanté. Personne, sauf l'homme à la mâchoire serrée qui lui tend sa carte de visite. Mais, en essayant de la lire, la petite chienne bigleuse et maladroite, la fait tomber dans le caniveau.

Chien Pourri, lui, consulte *Le Guide du séducteur* et tente une nouvelle approche :

— *T'as de beaux yeux, tu sais, page 3.*
— Pardon ? !
— Il ne faut pas lire jusqu'en bas, lui souffle Chaplapla.

Mais tout à coup, c'est la bousculade : la chanteuse Podvache sort à son tour et vient chercher sa petite choriste.

— Alors Sanchichi, on fait les poubelles ?! demande-t-elle.

— On fait connaissance, dit Chien Pourri.

Podvache, intriguée, s'approche de lui.

— Oh, mais j'adore la matière, cela me rappelle ma première serpillière, tellement rock ! Dis-moi beauté, où t'étais-tu caché tout ce temps ?

Chien Pourri se retourne pour vérifier qu'il n'y a personne derrière lui.

— Et quel humour ! Tu es venu avec ton vieux chat laid ? Moi aussi

j'adore la montagne. Je passe toutes mes vacances à Chat Mounix, mouahaha !

Chaplapla veut déguerpir mais Podvache insiste pour les revoir très vite.

— Alors, c'est d'accord, on dit demain 20 h ? Chez moi ?

— Avec ou Sanchichi ? demande Chien Pourri.

— Sanchichi.

— Ah, bon, elle ne viendra pas ?

— Mais si, idiot, elle me suit partout, quand elle ne chante pas, elle me sert comme un toutou. Mouahaha !

Le caniche à frange et le basset à petit manteau, eux, grognent de jalousie.

Leçon n° 3
Tu soigneras ton apparence

Sur le chemin du retour, les pattes dans le caniveau, les deux amis discutent de leurs nouvelles rencontres.

— Chien Pourri, je crois que tu as tapé dans l'œil de cette chanteuse !

— Jamais de la vie, je ne l'ai même pas touchée !

— Mais non, c'est une expression, comme *l'amour rend aveugle*…

— Ah bon ?!

« Si je tombe amoureux, j'aurai besoin d'un chien d'aveugle pour traverser la rue ? » s'inquiète Chien Pourri.

Mais l'amour ne se contrôle pas et de nouvelles questions remplissent la tête vide de ce brave toutou :

— Dis Chaplapla, tu me trouves beau, toi ?

— Moi ? Pourquoi, moi ?

— J'ai demandé à un rat tout à l'heure, il s'est enfui.

— Disons que tu as un physique intéressant. Mais, tu sais, ce qui compte, c'est la beauté intérieure.

Chien Pourri se contorsionne

dans tous les sens et finit par tomber
sur un vieux miroir brisé, abandonné
sur un trottoir. Aussitôt, il pousse un
cri d'horreur :

  – Chaplapla, mon museau !
  – Eh bien ?
  – C'est un pic, c'est un roc, que
dis-je, c'est une péninsule !

— Tu es un poète, Chien Pourri.

Mais Chien Pourri ne l'entend pas de cette oreille qu'il trouve maintenant beaucoup trop longue.

— Je suis aussi moche qu'une mouche, se morfond-il.

Heureusement, dans la vie d'un Chien Pourri, il y a parfois des soutiens auxquels on ne s'attend pas.

— Alors les affreux, on a un rendez-vous galant ? demande le caniche à frange devant leur poubelle.

— Nous sommes invités chez Podvache, confirme Chaplapla.

— Si tu veux un conseil, les chiennes adorent les franges, dit le caniche à frange.

— Et les petits manteaux, ajoute le basset.

Pauvre Chien Pourri, il ne pos-
sède rien de tout cela. Fouillant dans
sa poubelle, il se fixe un balai brosse
sur le front et se fabrique un nœud
papillon avec les liens coulissants
d'un sac poubelle de luxe.

— Pas mal, admet le caniche à
frange. Mais, on ne vient pas à un
dîner les mains vides.

Sous l'œil méfiant de Chaplapla,
le basset tend à Chien Pourri un
paquet à offrir à Podvache.

Leçon n° 4
Tu déclareras tes sentiments

Dans les rues mal éclairées, Chien Pourri croise des amoureux qui tricotent sur des bancs publics. L'homme aux mâchoires serrées, lui, écoute attentivement *Les Mauviettes Bleues*, un groupe qui joue dans la rue.

« J'espère que Sanchichi me reconnaîtra… au moins à l'odeur », se dit Chien Pourri.

La réponse ne va plus tarder car sur les hauteurs de la ville, une pancarte indique la propriété de la chanteuse de rock et de sa petite choriste bigleuse.

Chien Pourri gratte à la porte. San-chichi les accueille sans faire de façon :

— Entrez, ma maîtresse va vous recevoir.

« Elle ne m'a même pas regardé »,
pense Chien Pourri, le cœur brisé.

Tétanisé par l'émotion, il reste sur
le palier.

— Dis-lui quelque chose, l'encourage Chaplapla.

— Quoi ?

— N'importe. Dis-lui ce que tu aimes…

— J'aime les grosses saucisses.

— Pas à moi, à elle !

— Grosse saucisse !

— Oh, le goujat !

Sanchichi tourne les talons sans faire de manières. Chien Pourri, sonné par sa nouvelle gaffe, s'écroule sur le canapé et garde son sac poubelle sur le dos.

— Sanchichi, je t'ai déjà dit mille fois de ne pas laisser traîner tes ordures au milieu du salon ! hurle Podvache.

— Mais, c'est votre invité, explique Sanchichi.

— Oh, tu as raison, ma serpillière est arrivée ! Dans ce cas : tous à table et sans chichi !

— Ah bon, elle ne viendra pas finalement ? s'inquiète Chien Pourri, qui se remet de ses émotions.

— Qu'il est drôle ! se régale Podvache.

Sous la table en forme d'os géant, Chien Pourri consulte *Le Guide du séducteur* et tombe sur une phrase obscure : *Qui aime bien, châtie bien*.

— Ça parle de chats, Chaplapla ?

— Mais non, idiot. Cela signifie que lorsque quelqu'un nous plaît, on est parfois un peu dur.

— Ah ! d'accord, j'ai compris : SANCHICHI ! ALORS, CES CRO-

QUETTES ? C'EST POUR AUJOUR–
D'HUI OU POUR DEMAIN ?

La petite chienne bigleuse arrive
un bol à la main en tremblant de
colère. Pour se calmer, elle fredonne
un de ses airs préférés :

— *Mon caniche, je t'ai vu au beau
milieu d'un rêve…*

« Elle a froid sans doute, pense Chien Pourri. Mais je dois continuer à suivre les conseils du bon guide » :

— TU VEUX PEUT-ÊTRE QUE JE T'OFFRE UN RADIATEUR, EH BANANE !

Sanchichi repart illico dans la cuisine.

Chien Pourri, lui, se replonge dans sa lecture : *Fuis-moi, je te suis, suis-moi, je te fuis.*

— Il y a une fuite sous la table ? demande Chien Pourri.

— Mais non. Cela veut dire que, pour séduire quelqu'un, il ne faut pas le suivre comme un toutou, mais plutôt garder ses distances, lui explique Chaplapla.

— Ah oui, bien sûr.

À nouveau, Chien Pourri confond subtilité et débilité. Il se jette sous la table dès qu'il aperçoit Sanchichi et s'écrie :

— AU SECOURS, V'LÀ LE MONSTRE !

— Je ne suis qu'une petite bigleuse, sans laisse et sans collier, soupire-t-elle. Jamais, je ne trouverai de fiancé.

Podvache, au contraire, se délecte de ce spectacle.

— Quel caractère de chien ! N'est-il pas merveilleux, Sanchichi ?

— Si vous le dites, maîtresse.

— Regardez-moi cette souillon, poursuit Podvache. Cinq ans à mon service et pas un amoureux. Elle ne trouve personne à son (rat)-goût. Mouahaha !

— Mon amoureux aura les yeux noisette… murmure Sanchichi.

« C'est bon ça, les noisettes », pense Chien Pourri, en mangeant une croquette.

— … une frange sur la tête, poursuit-elle.

« J'ai un balai brosse », réfléchit-il.

— … un petit habit de pluie.

« J'ai un sac poubelle », sourit-il.

— Et surtout, il sera romantique.

« J'ai déjà quelques tics. »

Pendant que Chien Pourri reprend espoir, Podvache aperçoit

un paquet dépasser de son sac poubelle.

— Un cadeau ?! Pour moi ?! J'espère que ce ne sont pas des chocolats, j'ai horreur de ça.

— Je n'en sais rien, ce n'est pas moi qui l'ai acheté, répond Chien Pourri.

— Quelle franchise, j'adore !

Podvache défait le ruban rouge :

— De la mort-aux-rats ! Comme c'est original ! Chien Pourri : tu lis à travers moi. Viens m'embrasser, vieux toutou !

Mais Podvache n'est pas du genre à attendre un baiser. Frémissante d'amour, elle se jette sur Chien Pourri.

— Moi, j'aime l'amour qui fait

boum ! Viens ma serpillière, je te traînerai sur toutes les scènes du monde.

« Mais de qui parle-t-elle ? » se demande Chien Pourri.

La pauvre Sanchichi assiste tristement au spectacle :

— Je ne suis qu'une chienne sans os, sans niche et sans espoir. Je n'aurai jamais d'amoureux, même pas un chien pourri.

Leçon n° 5
Tu tenteras l'impossible

De retour dans son quartier, sur son trottoir et près de sa poubelle, Chien Pourri ouvre *Le Guide du séducteur* pour trouver un conseil romantique : *Autrefois, les chevaliers enlevaient leurs bien-aimées, prisonnières dans des couvents.*

« Quelle bonne idée ! pense Chien Pourri. Il me faudrait un

grand sac poubelle pour kidnapper Sanchichi. »

Il décide de mettre son plan à exécution, sans plus tarder.

— Je ne suis pas sûr que cela soit une bonne idée, tempère Chaplapla.

Mais rien ne peut arrêter un chien amoureux fou. La langue pendante et le cœur bien accroché, Chien Pourri fonce vers sa bien-aimée. Seulement, si la nuit tous les chats sont gris, les chiens pourris se reniflent à des kilomètres à la ronde et Sanchichi repère immédiatement son odeur de vieille sardine.

— Tu as oublié ta mort-aux-rats, vieux toutou ? demande-t-elle.

— Non, ma mie, je viens vous enlever !

« Il est tellement bête, qu'il en est presque touchant », pense Sanchichi. Mais vite, elle se reprend :

— Ça ne va pas la tête ! Et en plus tu me traites de mamie ! ?

Écoutant davantage son cœur que son intelligence, Chien Pourri assomme Sanchichi avec *Le Guide du séducteur.* La pauvre petite chienne se retrouve prisonnière du sac poubelle.

— *Un jour mon caniche viendra et il m'emmènera loin de cette ordure,* grogne Sanchichi.

Sans faire attention, Chien Pourri se cogne contre l'homme aux mâchoires serrées, qui siffle en travaillant un air de la petite pouilleuse :

— *J'ai deux amours : mon caniche et Paris…*

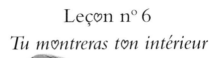

Leçon n° 6
Tu montreras ton intérieur

Chien Pourri est impatient de faire visiter sa poubelle à la petite bigleuse.

« J'espère que Chaplapla a fait le ménage », pense-t-il, mais en apercevant son bazar, le toutou a trop honte et n'ose plus défaire les liens du sac poubelle.

– Libère-moi ! hurle Sanchichi.

«Elle n'a pas l'air contente, mieux vaut qu'elle se calme à l'intérieur », se dit Chien Pourri.

— Au secours ! crie Sanchichi.

Mais, à cette heure de la nuit, personne n'entend la voix de la petite choriste, sauf le caniche à frange qui fait pipi sur la poubelle de Chien Pourri pour se venger de ne pas avoir été invité chez Podvache.

— À l'aide !

Le caniche croit reconnaître la voix de sa chanteuse préférée.

— J'arrive ma douce ! lance-t-il.

Mordant à pleines dents dans le sac poubelle, il ne peut éviter le mollet de Sanchichi.

— Aïe ! crie-t-elle.

Mais la douleur s'estompe vite en découvrant le caniche de ses rêves.

— Mon héros !

— Quelle horreur ! fait-il, en découvrant Sanchichi. Au fait, Chien

Pourri, et cette mort-aux-rats, pas trop empoisonné comme cadeau ? Mouahaha !

Dans la poubelle de Chien Pourri, deux cœurs brisés écrasent un paquet de gâteaux secs. Chien Pourri voit son amour s'effriter et la petite Sanchichi regarde son sauveur se sauver devant ses yeux.

Chaplapla tente de réconforter Chien Pourri, mais le pauvre toutou est inconsolable.

– C'est pire que le jour où j'ai fait tomber un os à moelle dans les égouts, soupire-t-il.

Mais, dans une poubelle, savoir lire est un don inestimable. Chien Pourri parcourt la page 12 du *Guide du séducteur* :

En cas d'urgence adressez-vous à :
JEAN-LOVE
3, rue des Hirondelles
93100 Patin sur Glace.
Consulte sans rendez-vous
du mardi au vendredi.
Accepte les paiements en croquettes.

Leçon n° 7
Tu consulteras le guide

Chien Pourri et Chaplapla se glissent derrière une palissade et trouvent la maison de Jean-Love, gardée par deux molosses, au milieu d'un terrain vague.

— Vous avez rendez-vous ? demande un pit-bull.

— Non, mais j'ai suivi le guide, indique Chien Pourri.

— Ça m'étonnerait, il est à l'intérieur, rigole un bouledogue.

— Ah bon, il n'est plus dans ma main ? s'inquiète Chien Pourri.

— Je vois, un cas désespéré. Entrez, fait le pit-bull.

Au deuxième étage, le cocker Jean-Love consulte sur des poufs.

— Ne faites pas attention au désordre. Ma huitième femme vient de partir.

— Vous avez aussi des maîtresses ? demande Chaplapla.

— Je me laisse guider par mon guide, répond Jean-Love. Bon, que puis-je faire pour vous ?

— J'ai le cœur brisé, admet Chien Pourri.

— Désolé, je n'ai pas de Scotch

sur moi, plaisante Jean-Love. Peut-être un petit whisky pour vous consoler ? Mouahaha ! Blague à part : vous connaissez la collection des romans *Arlechien* ?

— Non, je ne lis que les emballages dans ma poubelle, admet Chien Pourri.

— Eh bien, je vous offre le premier de la série : *L'Amour est une chienne*. Lisez-le, vous m'en direz des nouvelles.

Le brave toutou espère que cette nouvelle lecture lui fera oublier ses mésaventures.

L'Amour est une chienne est l'histoire d'une correspondance enflammée entre un caniche et une dalmatienne. Mais la dalmatienne a un stylo qui fuit et fait tellement de taches que le caniche ne peut déchiffrer ses lettres : leur amour est impossible.

« C'est trop triste, se dit Chien Pourri. Mais si le guide me l'a donné, il doit y avoir une bonne raison. » Il repense alors à Sanchichi et décide de lui écrire pour se faire pardonner.

Leçon n° 8
Tu écriras des lettres passionnées

Mon su-sucre,
Tu es plus belle que ma poubelle.
Signé : Chien Pourri.

— Qu'en penses-tu, Chaplapla ?
— C'est bien, mais tu ne devrais pas parfumer ta lettre au jus de sardine.

La réponse de la petite bigleuse est aussi sèche que rapide :

Vieux toutou,

Garde tes compliments et tes ordures dans ta poubelle !

Signé : Sanchichi.

En bon conseiller, Chaplapla souffle à Chien Pourri une nouvelle lettre :

Mademoiselle,

Pardon de vous avoir kidnappée, je me suis égaré. Je ne vous propose pas un canapé, mais un coin de trottoir pour nous réconcilier.

Signé : Chien Pourri.

Le miracle du courrier du cœur ne se fait pas attendre. Lorsque minuit sonne, la petite chienne apparaît, au coin d'une rue, à la lueur d'un réverbère. Mais une nouvelle fois, submergé par l'émotion, Chien Pourri a du mal à s'exprimer.

— Alors vieux cabot, qu'as-tu donc à me déclarer ? s'impatiente-t-elle.

Chien Pourri prend une grande inspiration :

— Je viens vous déclarer ma flemme, dit Chien Pourri.

— Ta flemme ?

— Euh, ma flamme.

— Mouahaha ! Elle est bien bonne celle-là ! s'esclaffe le caniche à frange, qui passe par là.

— Je vais la raconter à mon tailleur ! rigole le basset à petit manteau.

Chien Pourri, lui, se sent aussi écrevisse qu'une crevette, tandis qu'il regarde Sanchichi repartir avec le caniche à frange.

— Mieux vaut être mal accompagné que seul, admet celui-ci.

— Et avec un petit manteau, elle sera presque sortable, ricane le basset.

Leçon n° 9
Tu délivreras ta belle

Chien Pourri est effondré, voilà trois semaines qu'il traîne la patte à la recherche de Sanchichi. Il déambule sur les trottoirs de la ville, même les bouchers ont pitié et lui offrent des os à moelle. Les enfants lui lancent des ba-balles et les passants des su-sucres. Chien Pourri est méconnaissable.

Mais devant un salon de coiffure, il croit avoir la berlue. Une petite chienne est attachée à un poteau.

« C'est étrange, elle ressemble à Sanchichi, sans lunettes », remarque-t-il.

La petite chienne porte désormais une frange et un petit manteau

à froufrous. Elle fredonne une chanson d'amour triste :

— *Allez venez Médor, vous asseoir dans ma niche, il fait si froid dehors…*

« Comme elle a l'air malheureuse, pense Chien Pourri. Elle a peut-être perdu son maître. »

— Vous attendez quelqu'un ? lui demande Chien Pourri.

— Mon caniche charmant, il passe son temps chez le coiffeur.

— Vous n'auriez pas vu une petite chienne bigleuse dans le quartier ?

— J'en connaissais une autrefois, dit tristement Sanchichi.

« Dommage que je ne voie pas son visage, ce chien a l'air si gentil », pense-t-elle.

— Ton odeur me rappelle quelqu'un, se confie-t-elle. Je n'ai pas été tendre avec lui, je le regrette à présent. Je suis devenue l'esclave d'un caniche qui me couvre de colliers antipuces et qui me tient en laisse.

– C'est bien triste, dit Chien Pourri, mais je dois retrouver ma chienne, au revoir madame.

En partant, Chien Pourri tombe nez à nez avec le caniche à frange qui sort de chez le coiffeur.

– La vache, ils ont raté ma couleur ! Allez, Sanchichi, au pied, on rentre !

« Elle aussi s'appelle Sanchichi ? Quelle coïncidence ! » s'étonne Chien Pourri.

Une autre surprise l'attend sur le trottoir : la terrible Podvache fonce droit sur lui.

— Ah, ah, je te tiens vieille serpillière ! Où diable étais-tu passé ? !

— Dans ma poubelle, dit Chien Pourri.

— C'est faux ! *Je t'ai cherché partout, j'ai fait un tour immonde,* chante-t-elle, comme une casserole… Mais que vois-je ? Sanchichi ! Toi, ici ! Traîtresse, tu as voulu me voler ma serpillière de scène !

Sanchichi est peut-être bigleuse, mais maintenant, elle y voit clair.

« C'était donc lui », pense-t-elle.

« C'est peut-être son sosie », se dit
Chien Pourri, en la dévisageant.

Mais l'heure n'est ni aux compa-
raisons, ni aux retrouvailles :

— Chien Pourri, tu préfères cette
souillon à ta championne. Tu vas me
le payer cher.

— Ne lui faites pas de mal, maîtresse, il n'y est pour rien. C'est moi
qui ai suivi le caniche à frange, dit
Sanchichi.

— Et en plus, tu es infidèle !
s'enflamme Podvache.

Plus rien ne peut arrêter la ven-
geance d'une Podvache.

— Vieux rat, tu m'as offert de la
mort-aux-rats, l'autre jour et j'ai
manqué de politesse, j'ai oublié de
t'en proposer.

— Par pitié, non ! crie Sanchichi.

— Serait-ce un cri d'amour ?
Houhou la chienne ! elle est amou-
reuse ! se moque Podvache.

— Bon, moi, je vais m'acheter des
bigoudis, fait le caniche. Je file.

« Chouette, de la mort-aux-rats,

ça ressemble à des croquettes », pense Chien Pourri.

Il tend alors sa patte vers Podvache et ce qui devait arriver arriva : quelques secondes plus tard, Chien Pourri s'écroule sur le bitume.

Leçon n° 10
*Tu écriras la plus belle page
de ton histoire*

Une foule entoure Chien Pourri.
Chaplapla, prévenu par tous les chats
errants du quartier, se presse pour
secourir son ami.

— Il faudrait un volontaire pour
lui faire du bouche-à-bouche, suggère une dame.

La moitié des badauds s'enfuient

en courant! Chaplapla tente de le réanimer avec une pompe à vélo, mais rien n'y fait : Chien Pourri ne se réveille pas.

Sanchichi pleure et chante son amour perdu :

— *Non, rien, rien de rien, non je ne regrette rien, ni ses puces, ni ses tics, tout ça m'est bien égal…*

— C'est de sa faute, clame l'affreuse Podvache, en désignant Sanchichi. C'est elle qui l'a empoisonné avec son amour !

La foule en colère se dirige vers la petite bigleuse.

— Il faut la piquer, suggère une dame.

— Enlevez-lui d'abord son manteau ! crie le basset.

Mais l'homme à la mâchoire crispée, l'oreille toujours à l'affût, accourt pour défendre la pauvre Sanchichi et tend sa carte de visite à tous les passants :

Marcel Serre-Dent
Impresario-dénicheur de talents.

— Laissez-la tranquille, je peux vous en débarrasser, dit-il.

— C'est louche, fait Chaplapla en louchant sur sa carte.

Marcel Serre-Dent va pouvoir desserrer les dents, il a enfin retrouvé la chanteuse de ses rêves, celle qui chantait à la place de Podvache.

— J'ai attendu votre appel, lui dit-il.

— J'avais tout perdu, lui dit-elle.

— Je vous ai retrouvé, lui dit-il.

« Ils en font du bruit », pense Chien Pourri qui se redresse.

— Oh, regardez : il est vivant ! crie Sanchichi, c'est un miracle ! Personne n'a jamais survécu à de la mort-aux-rats !

— C'est parce que je n'en ai pas mangé, explique Chien Pourri. Je voulais la partager avec les rats de ma poubelle.

— Mais alors : pourquoi t'es-tu évanoui ?

— L'émotion. Jamais on ne m'avait offert autant de croquettes à la fois !

Le caniche à frange sort de chez le toiletteur avec des bigoudis sur la tête et à moitié tondu.

— Il faudrait raser ce salon de coiffure ! Au pied, Sanchichi ! Tu vas me faire un shampoing à la maison.

Mais la petite chienne n'obéit pas :

— Plus jamais je ne toucherai ta frange ! Sale cabot.

— Vas-y, Chien Pourri, elle n'attend que toi, dit Chaplapla.

— Je n'ose pas.

Pour se donner du courage, Chien Pourri plonge ses yeux dans *Le Guide du séducteur*, mais au chapitre : *Tu exprimeras tes émotions*, la page est déchirée. Il ne lui reste plus qu'à trouver les mots justes dans son exemplaire de *L'Amour est une chienne*. Devant la petite bigleuse, il prend une grande inspiration et lit :

— « Je vous aime, lui dit-il ».

— Pardon ?

— « Je vous aime, lui dit-il » répète-t-il.

— Qui dit ça ?

— Ben, lui, enfin moi.

— Mouahaha, je retourne en parler à mon coiffeur ! Elle est trop bonne celle-là ! fait le caniche à frange.

La petite chienne, elle, est touchée par tant de maladresse. Mais comme elle n'a plus ses lunettes, elle se trompe et tombe dans les bras de Chaplapla.

— Un couple mixte ! s'esclaffe Podvache.

Mais Sanchichi ne se trompe pas deux fois et se guidant à l'odeur, elle retombe sur ses pattes et sur le museau de Chien Pourri.

— Mon amoureux a les yeux noisette, dit-elle.

« J'ai les oreilles châtaigne », pense-t-il.

— Des tics et des puces, poursuit-elle.

« Ben, le pauvre, il doit vivre dans une poubelle », se dit Chien Pourri.

— Il a l'air bête, mais il est chouette, continue-t-elle.

« C'est un hibou ? » se demande Chien Pourri.

— Mais non ! c'est toi, gros bêta, finit par s'agacer Sanchichi.

Alors sous les yeux éblouis des badauds, Chien Pourri reçoit mieux qu'un coup de foudre : un baiser sur le museau.

— Ils sont moches, mais ils sont beaux, constate le caniche à frange.

— Sur ce coup-là, j'ai été vache ! admet Podvache. Le caniche à frange, j'ai besoin d'un toutou qui me suive partout et d'un basset pour aboyer sur scène à ma place, vous me suivez ?

Pour Chien Pourri, la vie n'est pas aussi simple, il ne peut pas dire à Sanchichi : « Qui m'aime me suive dans ma poubelle ». Et Marcel Serre-Dent, l'impresario, fait une proposition en or à la petite bigleuse :

— Que diriez-vous de m'accompagner en Amérique, Sanchichi ? Et sans Podvache ?

— J'en ai toujours rêvé.

Chien Pourri sait qu'une tournée américaine ne se refuse pas, surtout pour les hot-dogs.

— Je penserai à toi dès que je croiserai une poubelle et je reviendrai vite, promet-elle.

— Il paraît qu'il y en a plein en Amérique, s'émeut Chien Pourri.

Il accroche alors un cadenas d'amour à sa poubelle et convie tout le monde à un banquet de départ. Jean-Love apporte le dessert, un cœur fondant au chocolat et un nouveau livre de la collection *Arlechien* : *Le Toutou pourri et la petite bigleuse*.

— Il paraît que ça parle de vous, souffle Chaplapla.

— Ah bon ? Pourquoi ? demande Chien Pourri.

— Où ça ? Je ne vois rien, dit Sanchichi.

— Normal, l'amour rend aveugle, se réjouit Chien Pourri.